PAPA, MAMAN, NOS LIVRES ET MOI

Danielle Marcotte • Josée Bisaillon

Aux intrépides bons génies
du livre et de la lecture
D. M.

Pour ma maman et pour Émilie,
à qui je n'ai pas retourné plusieurs livres…
J.B.

Les 400 coups

Nous remercions le Conseil des
arts du Canada de l'aide accordée
à notre programme de publication
et la SODEC pour son appui
financier en vertu du Programme
d'aide aux entreprises du livre
et de l'édition spécialisée.

Nous reconnaissons l'aide financière
du gouvernement du Canada par
l'entremise du Fonds du livre du Canada
(FLC) pour nos activités d'édition.

Gouvernement du Québec – Programme
de crédit d'impôt pour l'édition
de livres – Gestion SODEC

PAPA, MAMAN, NOS LIVRES ET MOI
a été publié sous la direction de Renaud Plante.

Design graphique : Bruno Ricca
Révision : Philippe Paré-Moreau
Correction : Jenny-Valérie Roussy

© 2013 Danielle Marcotte, Josée Bisaillon
et les Éditions Les 400 coups
Montréal (Québec) Canada

Dépôt légal – 3ᵉ trimestre 2013
Bibliothèque et Archives nationales du Québec
Bibliothèque et Archives Canada

ISBN 978-2-89540-594-8

Loi 49-956 du 16 juillet 1949 sur les
publications destinées à la jeunesse.

Dès 5 ans.

**Catalogage avant publication de Bibliothèque et Archives nationales
du Québec et Bibliothèque et Archives Canada**

Marcotte, Danielle
  Papa, maman, nos livres et moi
  Pour enfants.
  ISBN 978-2-89540-594-8
  1. Lecture, Goût de la - Ouvrages pour la jeunesse.
  I. Bisaillon, Josée, 1982-   . II. Titre.

Z1037.A1M372 2013   j028.9   C2013-940914-9

J'aime quand on
est tous ensemble,
papa,
maman,
nos livres
et moi.

Papa lit. Maman lit.
Et moi, je lis aussi !

Bozo ne lit pas.
Il n'a pas encore appris.

Toto ne lit pas non plus.
Il préfère la télé.

Quant à Gala,
n'en parlons pas.

Elle est bien
trop occupée !

Moi, je ne suis
pas bête.

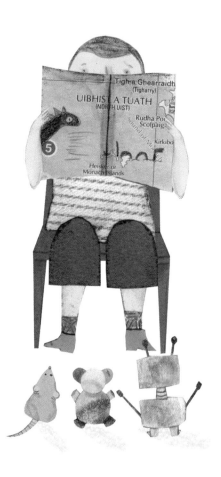

Je sais tourner les pages,
nommer les images,
imiter les sons.

Je sais lire, maintenant.
Comme les grands !

Autour de moi,
tout le monde lit.
Cinq ou six pages,
et mamie flotte sur un nuage.

À l'abri sous
l'auvent,
papi plonge
dans un roman.

Tonton bouquine dans la cuisine.
Ça sent le thym et l'aubergine.

Tantine déchiffre une partition.
Ses belles histoires produisent
des sons.

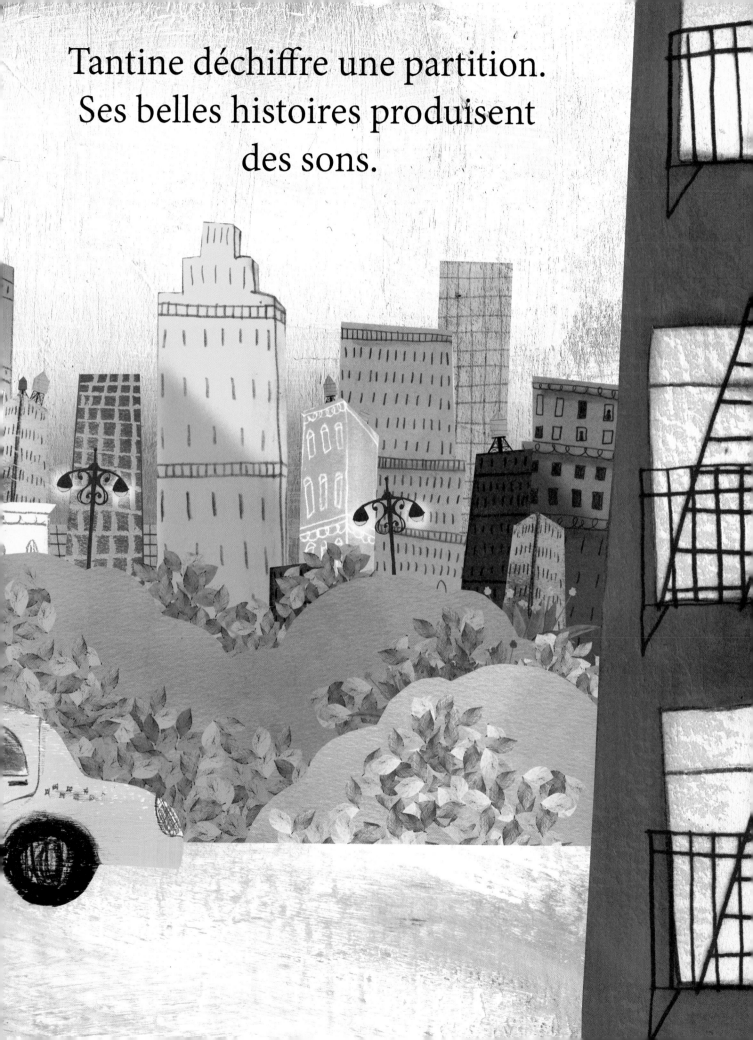

En sécurité dans son hamac,
ma voisine tremble face aux pirates.

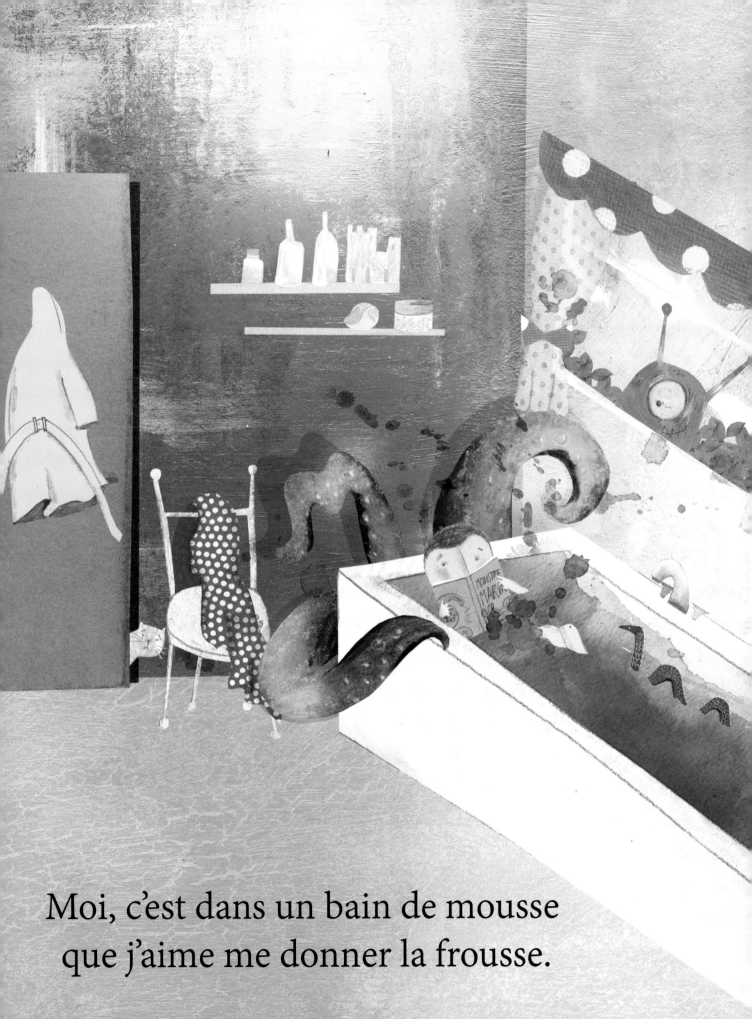

Moi, c'est dans un bain de mousse
que j'aime me donner la frousse.

On ne lit pas que dans les livres !
Le pêcheur lit dans le ciel des menaces
éventuelles.

Dans les yeux de
son amoureux,
une jeune fille lit
des mots doux.

Le voyageur lit l'heure sur sa montre en consultant l'horaire des trains.

Madame Dora lit l'avenir
dans les cartes et le cristal
comme dans les lignes de la main.

Chez le docteur, tout le monde lit : les secrétaires comme les patients.

Bébé grignote un tout-carton, pendant que le médecin lit le thermomètre.

Lire fait parfois
pleurer.

Lire fait parfois
sourire.

Moi, j'aime beaucoup
rire et pleurer.

Grâce aux livres,
je gagne en équilibre,
je prends de la hauteur.
Je trace des routes,
je fais du chemin.

Aussi loin que le livre m'emmène,
je ne risque pas de m'égarer.
Parce que nos livres nous rapprochent,
papa, maman, mes amis et moi.